Plentyndod
Chwareus
Playful
Childhoods

Published in partnership with The Parent Network ~ Cyhoeddwyd mewn partneriaeth â The Parent Network

Foreword

# FOREWORD

Children and teenagers tell us they want more opportunities to play outside with their friends. Playing is a crucial part of a healthy and happy childhood. It is important that adults make sure that children have good spaces and plenty of time to play.

Children benefit most when they are in charge of their play. When children choose what to play, who to play with, and how to organise their play, they have more fun. Children also develop and learn in all sorts of ways while playing. Every child has the right to play as recognised in article 31 of the United Nations Convention on the Rights of the Child.

This is the second book about the right to play that Play Wales has written with children in Wales for other children and families to read. Look out for the first book - **Fun in the dungeon** - in your school or local library. Both books are part of our **Playful Childhoods** campaign that aims to help parents and carers give children time, space and support to play at home and out in their local community.

Play Wales is the Welsh charity for children's play and we champion children's right to play. We will always advocate for a play friendly Wales and we hope you enjoy the story.

Rhagair

## RHAGAIR

Mae plant a phlant yn eu harddegau yn dweud wrthym eu bod eisiau mwy o gyfleoedd i chwarae'r tu allan gyda'u ffrindiau. Mae chwarae'n rhan allweddol o blentyndod iach a hapus. Mae'n bwysig bod oedolion yn sicrhau bod gan blant fannau da a digon o amser i chwarae.

Bydd plant yn elwa fwyaf pan maen nhw'n rheoli eu chwarae eu hunain. Pan fydd plant yn dewis beth i'w chwarae, gyda phwy i chwarae, a sut i drefnu eu chwarae, byddant yn cael mwy o hwyl. Bydd plant hefyd yn datblygu a dysgu ym mhob math o ffyrdd wrth chwarae. Mae gan bob plentyn yr hawl i chwarae, fel y cydnabyddir yn erthygl 31 o Gonfensiwn y Cenhedloedd Unedig ar Hawliau'r Plentyn.

Dyma'r ail lyfr am yr hawl i chwarae i Chwarae Cymru ei ysgrifennu gyda phlant yng Nghymru i blant eraill a'u teuluoedd ei ddarllen. Cadwch lygad am y llyfr cyntaf - **Hwyl yn y dwnjwn** - yn eich ysgol neu lyfrgell leol. Mae'r ddau lyfr yn rhan o'n hymgyrch **Plentyndod Chwareus** sy'n anelu i helpu rhieni a gofalwyr i roi amser, lle a chefnogaeth i blant chwarae gartref ac allan yn eu cymuned leol.

Chwarae Cymru yw'r elusen Gymreig dros chwarae plant ac rydym yn eiriol dros hawl plant i chwarae. Byddwn wastad yn eiriol dros Gymru chwarae-gyfeillgar a gobeithio y byddwch yn mwynhau'r stori.

On a little winding street lived an old woman.

Ar stryd fach droellog roedd hen ddynes yn byw.

She lived in a cottage with folded blankets as soft as a carpet of snow and a family of llamas in the garden. She lived with her granddaughter Rosie, who was the happiest child.

Roedd hi'n byw mewn bwthyn gyda blancedi trwchus mor feddal â chwrlid o eira a theulu o lamas yn yr ardd. Roedd yn byw gyda'i wyres Rosie, y plentyn hapusaf yn y byd.

Rosie was always leaping and exploring, building and inventing.

Roedd Rosie bob amser yn neidio ac anturio, adeiladu a dyfeisio.

Sometimes she and her grandma played games where their broomsticks were fluffy llamas riding through the garden.

Weithiau fe fyddai hi a'i mam-gu yn chwarae gemau ble roedd coesau eu brwshys yn lamas blewog yn carlamu trwy'r ardd.

One day Rosie came home and looked so upset.
'Why, whatever is the matter?' asked her grandma.
Rosie burst into tears.

Un diwrnod daeth Rosie adref yn edrych yn drist.
'Wel, wel beth sy'n bod?' gofynnodd ei mam-gu.
Dechreuodd Rosie grïo.

BA
COCOA

'Grandma it's terrible. It's our new next-door neighbour, Miss Grizzle. She's going to stop play in our street forever!'

'Mam-gu, mae'n ofnadwy. Mae Miss Grizzle, y ddynes newydd sy'n byw drws nesaf inni, am stopio pawb i chwarae ar ein stryd ni am byth!'

'How?' asked Grandma.
'Well,' answered Rosie, 'She bursts any balls that land in her garden ...'

'Sut?' gofynnodd Mam-gu.
'Wel,' meddai Rosie, 'Mae hi'n byrstio unrhyw beli sy'n mynd i'w gardd ...'

'... She's put up signs telling us not to play. She has even taken some of our scooters and toys and won't give them back.'

'... Mae hi wedi gosod arwyddion yn dweud wrthym ni i beidio chwarae. Mae hi hyd yn oed wedi cymryd rhai o'n sgwteri a'n teganau a wnaiff hi ddim eu rhoi yn ôl.'

'Oh dear,' said Grandma.

'It gets worse,' said Rosie, 'She says she remembers the time when there was a queen who stopped everyone playing.'

'O diar,' meddai Mam-gu.

'Mae'n waeth fyth,' meddai Rosie, 'Mae hi'n dweud ei bod hi'n cofio adeg pan oedd brenhines wnaeth stopio pawb rhag chwarae.'

'Miss Grizzle wants to be like the queen and do that in
our street. She says she's going to get everyone to sign her list
to get play stopped. What can we do Grandma?
We have a right to play.'

'Mae Miss Grizzle am fod fel y frenhines a gwneud hynny ar
ein stryd ni. Mae hi'n dweud ei bod hi am gael pawb i
arwyddo ei rhestr i roi stop ar chwarae. Beth allwn ni ei wneud
Mam-gu? Mae hawl gyda ni i chwarae.'

'Let's have a mug of cocoa. I've got some explaining to do and this might surprise you.'

Rosie looked puzzled.

'What if I told you I never played as a child? said Grandma. 'What if I told you I was stopped from playing?'

'Dere inni gael siocled poeth. Mae rhaid imi egluro rhywbeth iti ac efallai y bydd yn dipyn o sioc.'

Edrychodd Rosie arni yn syn.

'Beth pe bawn i'n dweud wrthyt ti na wnes i erioed chwarae yn blentyn?' meddai Mam-gu. 'Beth pe bawn i'n dweud fy mod i wedi cael fy stopio rhag chwarae?'

HAPPY RETIREMENT

'What if I told you I became an evil queen who thought playing was the worst thing ever? What if I told you I even put people in the dungeon when my guards caught them playing.'

'I wouldn't believe you. We always play together, it's our favourite thing to do,' said Rosie.

'Beth pe bawn i'n dweud fy mod i wedi tyfu'n frenhines gas oedd yn credu mai chwarae oedd y peth gwaethaf erioed? Beth pe bawn i'n dweud fy mod i wedi rhoi pobl yn y dwnjwn pan fyddai fy milwyr yn eu dal yn chwarae.'

'Fydden i ddim yn eich credu chi. Rydyn ni'n chwarae gyda'n gilydd o hyd, dyna ein hoff beth i'w wneud,' meddai Rosie.

SLAM!
Croak! Croak! Croak! Croak! Croak!

'Once upon a time,' said Grandma, 'there lived a king and queen who were very busy ruling their land.'

'Amser maith yn ôl,' meddai Mam-gu, 'roedd brenin a brenhines oedd yn brysur iawn yn rheoli eu teyrnas.'

'They wanted me, their little girl, to know how to take charge when they were too old. All my time was spent learning how to be a queen.'

'Roedden nhw am i mi, eu merch fach, wybod sut i reoli'r wlad pan fydden nhw'n rhy hen. Roedd fy amser i gyd yn cael ei dreulio'n dysgu sut i fod yn frenhines.'

'But Grandma how did you learn to love playing so much?' asked Rosie.

'A good question' said Grandma smiling, 'The children I locked up melted my heart when they played with only bed sheets, sticks and stones they found in the dungeon.'

'Ond Mam-gu, sut wnaethoch chi ddysgu i fwynhau chwarae gymaint?' gofynnodd Rosie.

'Cwestiwn da' meddai Mam-gu gan wenu, 'Fe wnaeth y plant yr oeddwn wedi eu cloi yn y dwnjwn feddalu fy nghalon pan welais i nhw'n chwarae gyda dim ond cynfasau gwely, brigau a cherrig.'

'I cried over my childhood of no play. One single tear broke the spell.'

'Fe wnes i grïo dros fy mhlentyndod heb chwarae. Fe wnaeth un deigryn bach dorri'r swyn.'

'But now,' said Grandma, 'We have work to do. We need to remind this street, and Miss Grizzle, how important play is! We will have a day for play in our garden.'

'Ond nawr,' meddai Mam-gu, 'Mae gennym ni waith i'w wneud. Mae angen inni atgoffa'r stryd yma, a Miss Grizzle, pa mor bwysig yw chwarae! Fe gawn ni ddiwrnod ar gyfer chwarae yn ein gardd.'

The next day there were signs all over the street telling everyone there would be something special in Grandma's garden at two o'clock on Saturday.

Y diwrnod canlynol, roedd arwyddion dros y stryd i gyd yn dweud wrth bawb y byddai rhywbeth arbennig yn digwydd yng ngardd Mam-gu am ddau o'r gloch ddydd Sadwrn.

On Saturday, everyone who lived on the street was there and everyone began whispering, excited about what might happen.

Big beach balls appeared from somewhere and everyone began throwing them in the air and passing them around the whole group, making sure everyone had a turn.

Ddydd Sadwrn, roedd pawb oedd yn byw ar y stryd yno a dechreuodd bawb sibrwd yn gyffrous am yr hyn allai ddigwydd.

Ymddangosodd peli mawr lliwgar o rywle a dechreuodd pawb eu taflu yn yr awyr a'u pasio o amgylch y grŵp, gan wneud yn siŵr bod pawb yn cael tro.

At exactly two o'clock a big gong sounded and everyone went quiet. Rosie's grandma stood on an old tree stump.

'Hello' she said, 'I hope you're having a nice time?'
Everyone smiled and nodded.

Am ddau o'r gloch ar ei ben, canodd gong fawr a thawelodd pawb. Safodd mam-gu Rosie ar hen foncyff coeden.

'Helo' meddai, 'Gobeithio eich bod yn cael amser braf?'
Gwenodd a nodiodd pawb.

'Now I'd like to ask Miss Grizzle to come and tell us about her plans for play in our street.'

'Nawr, fe hoffwn i ofyn i Miss Grizzle ddod i ddweud wrthym am ei chynlluniau ar gyfer chwarae ar ein stryd.'

'Well, I am fed up of balls landing in my garden. Playing stops us doing the serious things we should be doing. There is just too much giggling and silliness, so I think we need a street with no play,' said Miss Grizzle.

'Wel, rydw i wedi cael llond bol o beli yn glanio yn fy ngardd. Mae chwarae'n ein stopio rhag gwneud y pethau pwysig y dylen ni fod yn eu gwneud. Mae gormod o chwerthin a gwiriondeb, felly rydw i'n credu ein bod ni angen stryd heb chwarae,' meddai Miss Grizzle.

Rosie ran to Miss Grizzle, tagged her and said, 'You're on it!'
Miss Grizzle laughed and chased Rosie and tagged her back.

Rhedodd Rosie draw at Miss Grizzle, cyffwrdd yn ei braich a dweud,
'Tic, chi sy' 'mlaen!'
Chwarddodd Miss Grizzle a rhedeg ar ôl Rosie a'i thicio yn ôl.

Music started and neighbours began
playing musical chairs and lots of other games.

Daeth cerddoriaeth ymlaen a dechreuodd y cymdogion chwarae
cadeiriau cerddorol a llawer o gemau eraill.

Someone started collecting conkers and someone else found a big pile of mud and began making a mud pie.

Rosie noticed that Miss Grizzle wasn't chasing her.

Dechreuodd rhywun gasglu concyrs a daeth rhywun arall o hyd i bentwr mawr o fwd a dechrau gwneud cacen fwd.

Sylweddolodd Rosie nad oedd Miss Grizzle yn rhedeg ar ei hôl.

Can you spot Miss Grizzle?
Allwch chi weld Miss Grizzle?

## Writing the story ...

Inspired by the reaction to **Fun in the dungeon**, our first storybook about children's right to play, Play Wales engaged Petra Publishing to help us develop and publish this storybook.

We are grateful to Charles Williams Primary School in Caerleon, which allowed us to visit and work with its year 6 Class Afan during the summer of 2019. Over several weeks, the class considered the **Fun in the dungeon** story. The story writing group came up with creative ideas and words exploring why the central character in the first book, the Queen, was so negative towards play.

Supported by author and poet Mike Church, the class created an imaginative and playful story. Their ideas and drawings were shared with our illustrator Les Evans, who brought their story to life.

**Fun in the garden** reminds us beautifully about how all adults in children's lives can either support or hinder the right to play. It captures the importance of supportive and tolerant communities in helping children to realise their right to play.

## Ysgrifennu'r stori ...

Wedi ein hysbrydoli gan yr ymateb i **Hwyl yn y dwnjwn**, ein llyfr stori cyntaf am hawl plant i chwarae, gofynnodd Chwarae Cymru i Petra Publishing ein helpu i ddatblygu a chyhoeddi'r llyfr stori hwn.

Rydym yn ddiolchgar i Ysgol Gynradd Charles Williams yng Nghaerleon, wnaeth ganiatáu inni ymweld a gweithio gyda disgyblion blwyddyn 6 Dosbarth Afan yn ystod haf 2019. Dros nifer o wythnosau, ystyriodd y dosbarth stori **Hwyl yn y dwnjwn**. Meddyliodd y grŵp ysgrifennu stori am eiriau a syniadau creadigol i archwilio pam oedd cymeriad canolog y llyfr cyntaf, y Frenhines, mor negyddol tuag at chwarae.

Gyda chefnogaeth yr awdur a'r bardd Mike Church, creodd y dosbarth stori chwareus yn llawn dychymyg. Cafodd eu syniadau a'u lluniau eu rhannu gyda'n darlunydd Les Evans, ddaeth a'u stori'n fyw.

Mae **Hwyl yn yr ardd** yn ein hatgoffa i'r dim sut y gall yr holl oedolion ym mywydau plant un ai gefnogi neu rwystro'r hawl i chwarae. Mae'n crynhoi pwysigrwydd cymunedau cefnogol a goddefgar wrth helpu plant i wireddu eu hawl i chwarae.